ما الَّذي تُحِبُّهُ في الْمَدْرَسَةِ؟

هَلْ تَعْتَقِدُ أَنَّ هذا الطِّفْلَ يُحِبُّ الْمَدْرَسَةَ؟

ما هِيَ الْأَشْياءُ الَّتي تَجْعَلُهُ يُحِبُّ الْمَدْرَسَةَ؟

وَإِنْ بَقيتَ أَنْتَ في الْبَيْتِ، فَماذا تَفْعَلُ؟ وَكَيْفَ تُمْضي وَقْتَكَ؟

تَحَدَّثْ عَنِ الْأَشْياءِ الَّتي تَفْتَقِدُها.

بَعْضُ الْوَقْتِ مَعًا

حَدِّدوا وَقْتًا لِتَبادُلِ الْأَفْكارِ، عَنِ الْقِصَّةِ، مَعَ الْقُرّاءِ الصِّغارِ! في ما يَلي بَعْضُ الْأَنْشِطَةِ الْمُفيدَةِ. مُلاحَظَةٌ: لَيْسَ هُناكَ صَحٌّ أَوْ خَطأٌ في الْإِجاباتِ.

لِنَلْعَبْ لُعْبَةً: تَأْتي الْقِصَّةُ على ذِكْرِ بَعْضِ الْأَجْزاءِ مِنَ الْجِسْمِ (مِثْلِ الرَّأْسِ وَالْقَدَمِ وَالْحُلْقومِ وَاللِّسانِ). ما هِيَ بَعْضُ الْأَجْزاءِ الْأُخْرى الَّتي يُمْكِنُ لِلطِّفْلِ أَنْ يُسَمِّيَها؟ اِلْعَبوا لُعْبَةَ التَّسْمِيَةِ. تَبادَلوا الْأَدْوارَ مَعَ الطِّفْلِ في الْإِشارَةِ إِلى بَعْضِ أَجْزاءِ الْجِسْمِ الَّتي يؤَثِّرُ فيها مَرَضُهُ. وَاكْتُبوا، خِلالَ ذلِكَ، قائِمَةً بِتِلْكَ الْأَجْزاءِ.

لِنَتَحَدَّثْ: تَخَيَّلوا مَشْهَدَ الطِّفْلِ الْمَريضِ وَهُوَ يَسْتَمْتِعُ بِالْحِساءِ! تَحَدَّثوا مَعَ الْقارِئِ الصَّغيرِ عَنْ أَهَمِّيَةِ الْحِساءِ، كَوَجْبَةٍ أَساسِيَّةٍ، تُساعِدُ الْمَريضَ عَلى اسْتِعادَةِ عافِيَتِهِ. ثُمَّ اطْرَحوا السُّؤالَ التّالي عَلى طِفْلِكُم: ماذا تُحِبُّ أَنْ تَأْكُلَ، لَوْ كُنْتَ مَريضًا مِثْلَهُ؟ وَلِماذا؟

هُناكَ بَعْضُ النَّشاطاتِ الْمُسَلِّيَةِ نَقومُ بِها مَعًا.

مَنْ يُساعِدُكَ؟

يَسْتَيْقِظُ الطِّفلُ صَباحًا وَهُوَ يَشْعُرُ بِأَنَّهُ مَريضٌ.

أُذْكُرْ بَعْضَ الدَّلائِلِ الّتي تَجْعَلُهُ يُدْرِكُ أَنَّهُ مَريضٌ.

يُشَجِّعُ الْوالِدُ طِفْلَهُ، وَيُساعِدُهُ على مُقاوَمَةِ الْمَرَضِ.

أُذْكُرْ بَعْضَ الْأُمورِ الَّتي قامَ بِها الأَبُ، لِمُساعَدَةِ طِفْلِهِ.

تَصَوَّرِ الْآنَ أَنَّكَ مَريضٌ. مَنْ يَسْهَرُ عَلى راحَتِكَ، وَعَلى الْعِنايَةِ بِكَ؟

اِشْرَحْ لَنا، بِالرُّسومِ، كَيْفَ يَقومُ والِداكَ أَوْ أَيٌّ مِنْهُما، مَثَلاً، بِالسَّهَرِ عَلَيْكَ وَالْعِنايَةِ بِكَ في أَثْناءِ مَرَضِكَ.

ثُمَّ أُكْتُبْ «شُكْرًا جزيلاً» تَحْتَ الصُّورَةِ الَّتي رَسَمْتَها.

وَقَدِّمْها إِلى مَنِ اعْتَنى بِكَ.

فِي الْأَيّامِ الْقَليلَةِ الْمُقْبِلَةِ،
إِنْ شاءَ الْقَديرُ،
أَقْفِزُ مِنَ السَّريرِ وَالْبَيْتِ،
وَمِنَ الْبابِ أَطيرُ.
مُتَمَتِّعًا بِالصِّحَّةِ الْغالِيَةِ،
مُسْتَرِدًّا نِعْمَةَ الْعافِيَةِ.

تُزْعِجُني الْإِصابَةُ بِالْمَرَضِ،

لِكنَّها لَيْسَتْ مُصيبَةَ الْمَصائِبِ،

ما دُمْتُ باقِيًا في الْبَيْتِ،

آكُلُ مِنَ الْمُغَذِّياتِ وَالْأَطايِبِ،

وَأُمْضي الْوَقْتَ في الرّاحَةِ.

أَبي، يا حُبّي!

شُكْرًا، مِنْ كُلِّ قَلْبي!

لَقَدْ تَحَسَّنَتْ كَثيرًا، حالَتي.

هَيّا بِنا!

أَيْنَ هُوَ ذاكَ الْكِتابُ،

نَقْرَأُهُ مَعًا، أَنْتَ وَأَنا.

يَمْ! يَمْ!

حِساءٌ شَهِيُّ الْمَذاقِ، لَذيذُ الرّائِحَةِ.

دافِئٌ جِدًّا، طَيِّبٌ لِلْغايَةِ.

بَدَأْتُ أَشْعُرُ بِشَيْءٍ مِنَ التّعافي،

وَبِبَعْضِ النَّشاطِ كَعادَتي.

ما الَّذي تَحْمِلُهُ، يا أَبي؟
هَلْ أَتَيْتَ بِحِسائي الطَّيِّبِ؟
وَهَلْ جِئْتَ بِهذا الْكِتابِ لِأَجْلي،
نَقْرَأُ مِنْهُ، ما يُفيدُ وَيُسَلّي؟

تُزْعِجُني الْإِصابَةُ بِالْمَرَضِ!
يُضايِقُني الْمَرَضُ، الَّذي يُعَذِّبُني.
فَالْبَقاءُ في السَّريرِ يُجَنِّنُني!

أُحاوِلُ الْوُقوفَ، فَأَهْتَزُّ وَأَتَمايَلُ،
وَعَلى الْأَرْضِ أَقَعُ.
يَضْحَكُ أَخي الصَّغيرُ، وَيَتَخايَلُ.
يَرْكُضُ، يَقْفِزُ، يَتَمَتَّعُ.

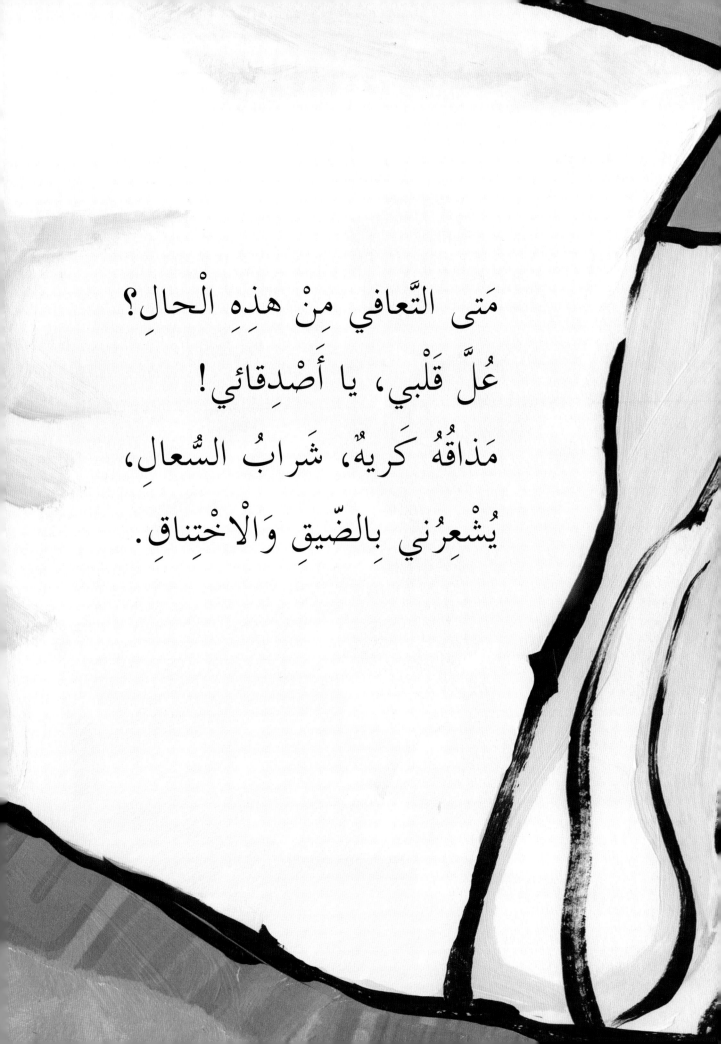

مَتى التَّعافي مِنْ هذِهِ الْحالِ؟
عُلَّ قَلْبي، يا أَصْدِقائي!
مَذاقُهُ كَريهٌ، شَرابُ السُّعالِ،
يُشْعِرُني بِالضّيقِ وَالْاخْتِناقِ.

أُكْثِرُ مِنَ السُّعالِ وَالْعَطْسِ،
وَالصُّداعُ يُثْقِلُ رَأْسي.
مُرْتَفِعَةٌ جِدًّا حَرارَتي،
وَالْعَرَقُ يُبَلِّلُ فَرْشَتي.

تُزْعِجُني الإِصابَةُ بِالْمَرَضِ!

لا حَلْوى مِنَ الدُّكّانِ،
لا لَعِبٌ مَعَ الْفِتْيانِ.

آخْ! سَأُصابُ بِالْغَثَيانِ!

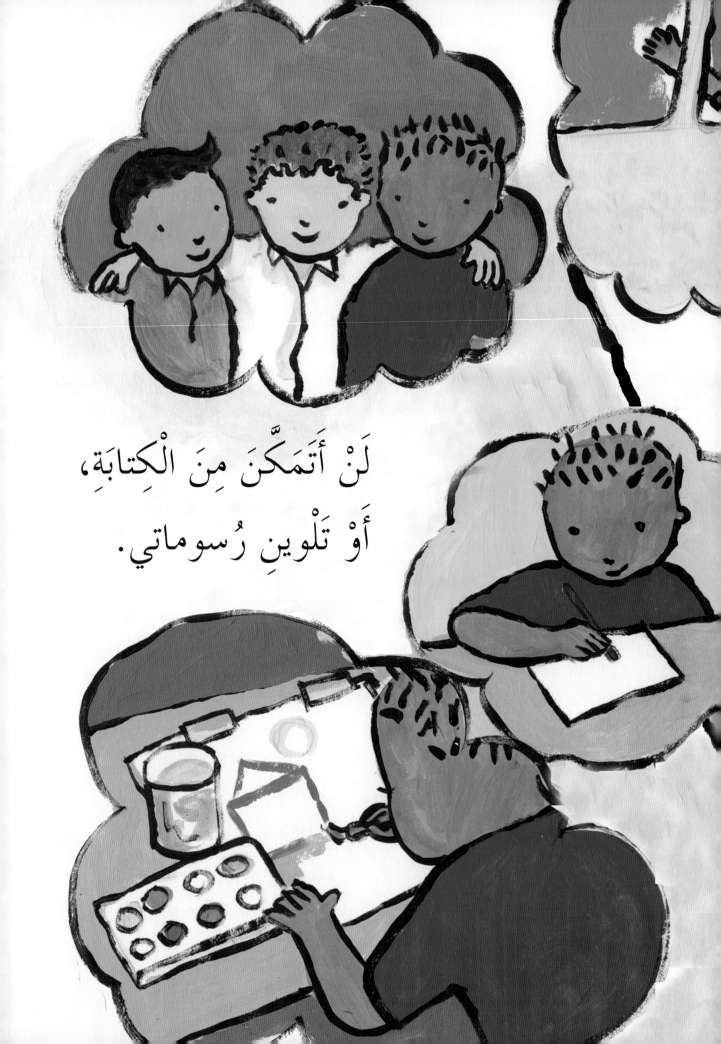

لَنْ أَتَمَكَّنَ مِنَ الْكِتابَةِ،
أَوْ تَلْوينِ رُسوماتي.

تُزْعِجُني الإِصابَةُ بِالْمَرَضِ!
لَنْ يأْتِيَ باصُّ الْمَدْرَسَةِ،
لَنْ أَرى رِفاقَ الصُّحْبَةِ.

في حَلْقِيَ الْتِهابٌ بَغيضٌ،
وَلِساني مُكَبَّلٌ... مِثْلَ الْعُقْدَةِ.
دَخَلَ أَبي إِلى غُرْفَتي،
قائِلاً: «أَظُنُّ أَنَّكَ مَريضٌ».

أَفَقْتُ في الصَّباحِ، مُصابًا بِوَعْكَةٍ،
شاعِرًا بِالْأَوْجاعِ وَالْأَلَمِ،
مِنْ قِمَّةِ الرَّأْسِ إِلى أَخْمَصِ الْقَدَمِ.
وَتَسوءُ حالَتي لَحْظَةً بَعْدَ لَحْظَةٍ.

تُزْعِجُني الإِصابَةُ بِالْمَرَضِ

تَأْليفُ: أَمير لي بيرميس
رُسومُ: كِن ويلسون-ماكس

ISBN 978-0-439-86403-9

First Arabic Edition, 2006. Printed in China.

1 2 3 4 5 6 7 8 9 10 62 11 10 09 08 07

تُزْعِجُني الْإِصابَةُ بِالْمَرَضِ

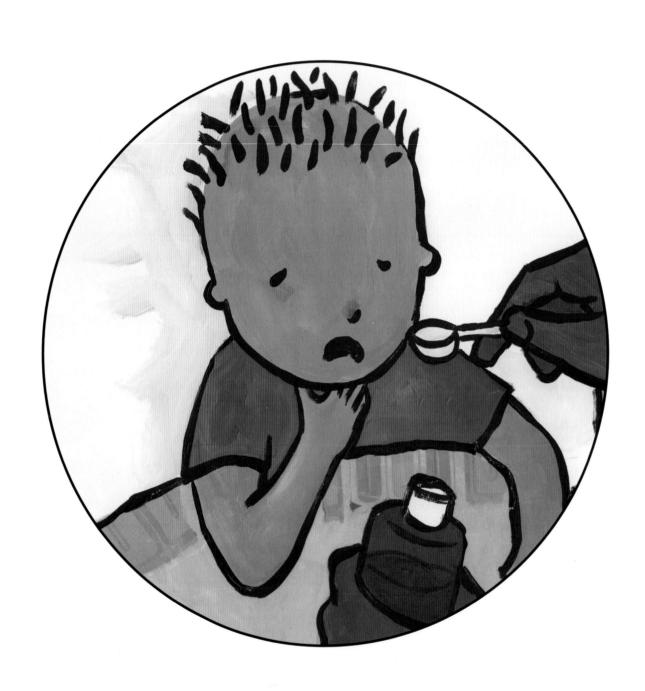